Manga :
Ranmaru Kotone

Histoire originale :
Yasutaka Tsutsui

Character Design :
Yoshiyuki Sadamoto

time is
time was
time is not...

SOMMAIRE

ISBN : 978-2-84965-326-5

IL FAUT QUE TU REVIENNES...
SANS FAUTE !
PROMIS ?
GYA !!
MAIS... DANS QUEL PÉTRIN JE ME SUIS ENCORE FOURRÉE ?
HIIII
DÉSOLÉE POUR LE DÉRANGE...
BOUM

HÉÉÉ ! QU'EST-CE QUE...
VOUS ALLEZ BIEN !?
ALLÔ ?
HÉ, VOUS, QU'EST-CE QUE VOUS LUI AVEZ...

IL...
IL A DISPARU !
SURPRISE
MAIS... CETTE FILLE... C'EST MOI ?
CE N'EST PAS TON ÉPOQUE, ICI...

HEIN ?
TU DOIS RETOURNER D'OÙ TU VIENS...

!!
FLASH
OUÏE
ZIIIP
OUÏE
KYAAAAAA

BIP

PAM
PAM
BIP
PONG
BIP
BIP
BIP
BIP
BIP
BIP
!!!

BIP
BIP
BIP
BIP
AH...
BIIP
HEIN ?
C'ÉTAIT ...
QUOI ...
CE RÊVE ?
DOUTE
FIXE

BABOUM
GYAAAAA !! CHUIS EN RETARD !?
TIENS, MAKOTO EST ENFIN RÉVEILLÉE ...

DADAM
MAIS EUH ! POURQUOI VOUS M'AVEZ PAS RÉVEILLÉE ??
ON VA PAS LE FAIRE TOUS LES JOURS NON PLUS.
BON BAH MOI, JE SUIS PARTIE !
DADAM
MAMAAAN, MON LAIT !!

PFFF
MERCI !
MAKOTO, JE SAIS BIEN QUE C'EST PAS LE MEILLEUR MOMENT...
HOP
MAIS, EST-CE QUE TU POURRAIS PORTER CES PÊCHES À TATIE SORCIÈRE ?

LA VOISINE NOUS EN A OFFERT UNE TONNE ! TU LUI APPORTERAS SUR LE CHEMIN DU RETOUR.
TIENS !
QUOI ? TU VEUX QUE JE LES APPORTE À L'ÉCOLE !?
À CE SOIIIIR !
JE COMPTE SUR TOI !
TCHIIC
KSSSS
KSSSS
KSSSS
IL FAIT CHAUD !
MAIS C'EST AGRÉA-BLE...

C'EST BIENTÔT LES GRANDES VACANCES.
J'AI L'IMPRESSION QUE CET ÉTÉ VA ÊTRE GÉNIAL !

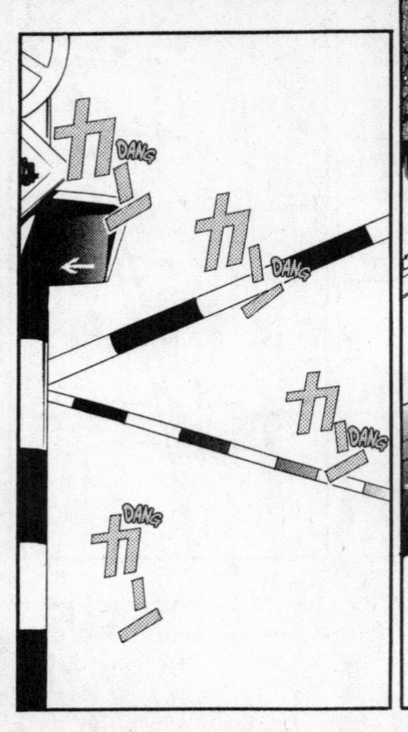
DANG
DANG
DANG
DANG

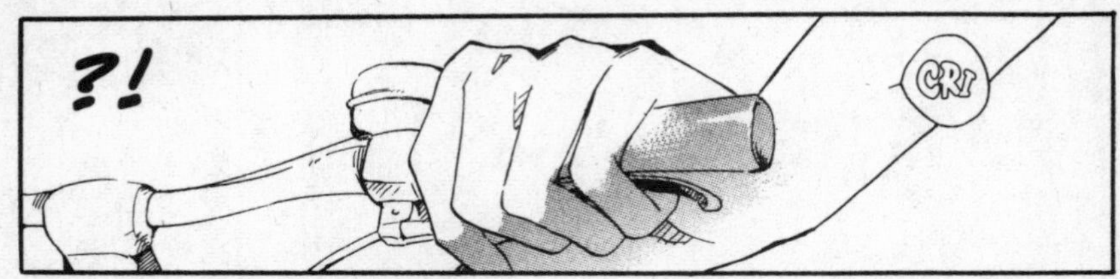
CRI
?!

CRI
CRI
CRI
CRI
CRI
CRIII
CRI
BAM

DANG
DANG
ÇA CRAINT ! MES FREINS FONT UN DE CES BOUCANS !
BOUM
BOUM
IL FAUT VRAIMENT QUE JE REGARDE ÇA À MON RETOUR !
DANG
DANG
MAIS SINON ...
IL ÉTAIT VRAIMENT BIZARRE, MON RÊVE DE CE MATIN...
DANG
J'AI UN DRÔLE DE TRUC À VOUS RACONTER ...
PEUH !
AUCUNE CHANCE !
HI!!
AH, TIENS !
...
CHIAKI !!
MWAAH...

HÉÉÉ ?
DÉJÀ LÀ, MAKOTO !
SI ON EST EN RETARD, C'EST DE TA FAUTE !
ÇA T'AR-RANGE BIEN !
RHAAAA
DIRE QUE LES SEULS GARÇONS AVEC QUI JE M'ENTENDS, C'EST CE MUFLE DE CHIAKI MAMIYA...

ET KÔSUKE TSUDA.
DING
DONG
VOUS ÊTES EN RETARD, TOUS LES DEUX.
VOUS POURRIEZ QUAND MÊME ESSAYER D'ARRIVER AVANT LE DÉBUT DES COURS ! VOUS ÊTES EN PREMIÈRE, MAINTENANT !
HÉ HÉ HÉ ! CETTE FOIS, ON EST ARRIVÉS AVANT LE PROF !
QUEL ÉLÈVE MODÈLE, MON PETIT KÔSUKE !
LA FERME !
SALE BINO-CLARD, VA !
...

DÉCIDÉMENT...
HEIN ?
QU'EST-CE QUI SE PASSE, MAKOTO ?

JE PEUX RIEN LEUR DIRE... C'EST ÉVIDENT !!
ELLE NOUS FAIT QUOI ?
HA HA HA HA !!
RIRE JAUNE
LE COURS VA COMMENCER !

BON !
OUBLIONS CE RÊVE DÉBILE !!

AUJOURD'HUI, J'AI UN CADEAU SPÉCIAL POUR VOUS...
DE TOUTE FAÇON, C'EST BIENTÔT LES GRANDES VACANCES !
JE SUIS PLUTÔT CHANCEUSE, COMME FILLE.
CET ÉTÉ, ON VA FAIRE PLEIN DE CHOSES GÉNIALES !
HEIIIIN ? C'EST QUOI ?
TOUT PLEIN ! TOUT PLEIN ! TOUT PLEIN !

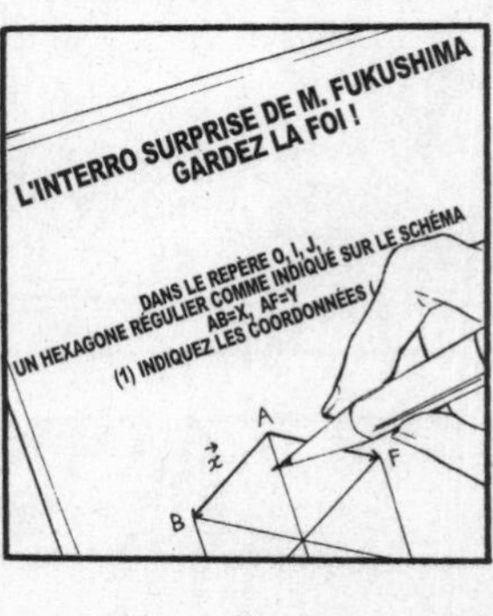

L'INTERRO SURPRISE DE M. FUKUSHIMA
GARDEZ LA FOI !
DANS LE REPÈRE O, I, J,
UN HEXAGONE RÉGULIER COMME INDIQUÉ SUR LE SCHÉMA
AB=X, AF=Y
(1) INDIQUEZ LES COORDONNÉES
A
F
B

DAA
AAANG
MAIS QU'EST-CE QUE TU FABRIQUES, KONNO !!
C'EST BIENTÔT FINI !

EUX NON PLUS, ILS N'ONT PAS DÛ RÉVISER !
MAIS SI C'EST UNE INTERRO SURPRISE...
IL RELIT SA COPIE.
ON DIRAIT QU'IL A DÉJÀ FINI.
J'Y CROIS PAAAAAS !
DING
DONG
DONG
DING
RHAAA...
J'AI RENDU COPIE BLANCHE... CHUIS PAS SI CHANCEUSE QUE ÇA, FINALEMENT !
BON, VOUS AVEZ TOUS FINI ?
N'OUBLIEZ PAS : QUAND ON FAIT LA CUISINE, IL FAUT TOUJOURS SURVEILLER LA CUISSON !

HÉ, VOUS TROUVEZ PAS QUE ÇA SENT LE CRAMÉ ?
HEIN ?
KONNO, OÙ EST VOTRE GRATIN ?
AAAARG ! DÉSOLÉE !!
KONNO !!
MALGRÉ TOUT, JE CONTINUE DE PENSER QUE J'AI QUAND MÊME DE LA VEINE !

HÉ, DIS !
BAAM
KYAAAAAA !
ATTENTION, MAKOTO !!
HEIN ? MAIS EUH...
PSHHHT
LE ROBINET EST CASSÉ...
KYAA
...
POURTANT, JE ME SENTAIS SI BIEN, CE MATIN !
CROTTE DE CHIEN

C'EST QUOI, CETTE JOURNÉE POURRIE ?
J'AI UNE DE CES POISSES !
GRRRR
MAKOTOOO !

YURI ? QU'EST-CE QU'IL Y A ?
HA !
TAP
TAP
DIS, MAKOTO ! TU AS CHOISI SI TU ALLAIS PRENDRE LA FILIÈRE SCIENTIFIQUE OU LITTÉRAIRE ?
FROTTE
EUH... NON, PAS ENCORE.

OUF, JE SUIS RASSURÉE !
TOI NON PLUS, YURI ?
JE SUIS COMPLÈTEMENT PERDUE ! C'EST TELLEMENT DIFFICILE DE SE PROJETER DANS L'AVENIR...
C'EST VRAI...

L'AVENIR ?
HÉÉÉÉ, MAKOTO !!

CHIAKI !!
T'EN AS ENCORE POUR LONG-TEMPS, AVEC LE MÉNAGE ?
TCHIII

J'ARRIVE TOUT DE SUITE ! J'AI DIT À KÔSUKE QUE JE VOUS REJOINDRAI SUR LE TERRAIN !
OK, MAIS FAIS VITE !
T'AS DE LA CHANCE, MAKOTO !
HEIN ?

T'AS DU SUCCÈS, AVEC LES GARÇONS !
QUOI !? MAIS QU'EST-CE QUE TU RACONTES ?
CLAC
QUI TU PRÉFÈRES ? KÔSUKE OU CHIAKI ?
ON FAIT DU BASE-BALL EN-SEMBLE, C'EST TOUT !
D'AC-CORD !
HYAAAA
Y A ENCORE DU BOULOT POUR VOUS !

DÉCIDÉ-MENT, J'AI UNE SACRÉE POISSE, AUJOURD'HUI !
KSSS
KSSS
KSSS
KS

CLAAANG
WAAAA
BLA
BLA
BLA
BLA
BLA
PUNAISE, C'EST LOURD ! POURQUOI C'EST JUSTEMENT AUJOURD'HUI QU'ON DOIT RANGER LES CAHIERS ?
DÉCIDÉ-MENT, J'AI PAS DE BOL, AUJOURD'HUI ! ATTENTION, JE RENTRE !
HOP !!
TCHAAC
PAAM

Y EN A BIEN UNE TONNE !
PFIOuuuu
POUM

BON, ET MAIN-TENANT, BASE-BAAAAALL !!
CLANG

CLANG
?!
CLANG
CLANG
CLANG

CLANG
HEIN ?
IL Y A QUELQU'UN ?
CLANG

GWAAAAAA!!
WHAAAA!!!

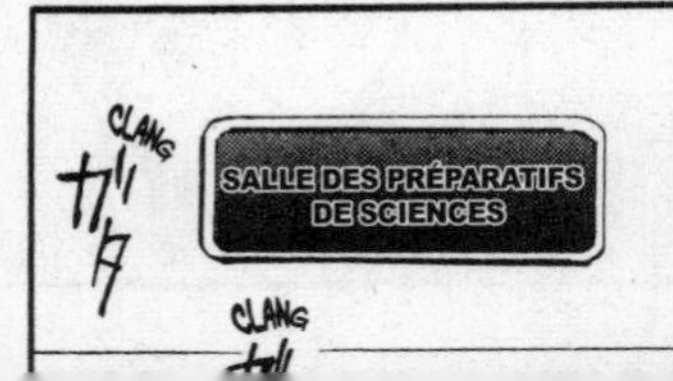
CLANG
SALLE DES PRÉPARATIFS DE SCIENCES
CLANG

BAAAM
GO !
MONTRE-TOI, SALE RÔDEUR !!
TADAAM

TIENS, C'EST BIZARRE !
Y A PERSONNE !
HEIN !?

?
C'EST QUOI, CE TRUC ?

!!!
TCHAC

C'EST PAS POSSIBLE, UNE MALCHANCE PAREILLE...

CLANG
AH HYA HYA
ENFOI-RÉÉÉS ! C'EST PAS DRÔÔÔLE !

KÉÉÉÉ ! ELLE EST TROP HAUTE !
IL Y AVAIT VRAIMENT QUELQU'UN DANS LE LABO ?!

MÊME TOI, TU NE ME CROIS PAS, KÔSUKE !
BIEN SÛR, QU'IL Y AVAIT QUELQU'UN ! MAIS J'AI PAS VU SA TRONCHE ...
T'ES SÛRE QUE TU L'AS PAS VU DANS TES RÊVES ?

EN PLUS, LA SALLE EST TOUJOURS FERMÉE, NORMALE-MENT ?
OUAIP !
LES PÊCHES !!
MAIS PUIS-QUE...
AAAARG, C'EST PAS POSSIBLE !

JE SUIS DÉSOLÉE, IL FAUT QUE JE RENTRE !
DÉJÀ ?
HOP
IL FAUT QUE J'APPORTE CES FRUITS À MA TANTE.
À DEMAIN !

ALORS ON VA DEVOIR FAIRE MUMUSE EN SE LANÇANT LA BALLE, TOUS LES DEUX ?
PEUT-ÊTRE QUE TU PROGRESSERAS, COMME ÇA !
GRR

KSSS
KSSS
KSSS
KSSS
ALLÔ, TATIE ?

J'ARRIVE TOUT DE SUITE ! JE JOUAIS...
IL M'EST ARRIVÉ UN TRUC INCROYABLE EN SALLE DE SCIENCES !

EN SALLE DE SCIENCES ?

OUI, C'EST ÇA D'ABORD... WAAH !
WOOSH

AH !
TCHIIII
EXCUSEZ-MOIIIII !
GWAA !
REGARDE UN PEU DEVANT TOI !

OULALA, C'ÉTAIT MOINS UNE !
MON PORTABLE...
JE VERRAI PLUS TARD...
BOOOON...
CLAP
TCHIIII
DANG
DANG
DANG
DANG

J'AI TOUJOURS CRU QUE J'ÉTAIS PLUTÔT CHANCEUSE...
MAIS AUJOURD'HUI, J'AI UNE DRÔLE DE POISSE !
CRI
CRI
CRI
CLICLIC
CRI
QUE J'AI QUAND MÊME ÉCHAPPÉ AU PIRE...
CLANG
TCHII
CRI
CRI
CECI DIT, JE PEUX TOUJOURS ME DIRE...

HEIN ?

MES FREINS !
CLINK
カスッ
CLINK
C'EST PAS VRAI !
ARRÊTE-TOI !
DANG
DANG
CRRRRR
ARRÊTE-TOI !

ARRÊTE-TOI !!

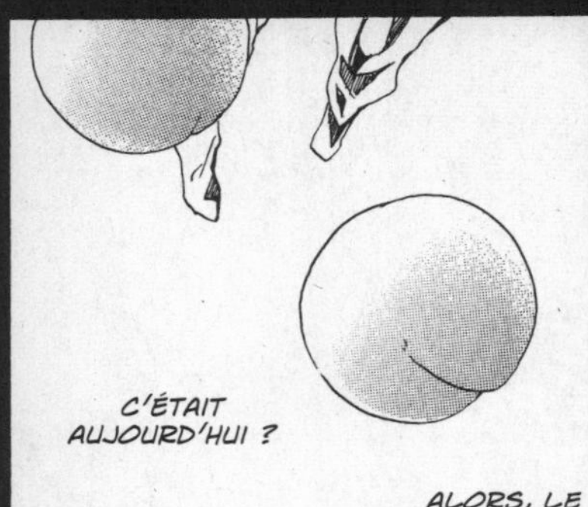

C'ÉTAIT AUJOURD'HUI ?
ALORS, LE DERNIER JOUR DE MA VIE...

ALORS QUE J'AI SEULEMENT 17 ANS ?

SANS BLAGUE ?

ET QUE LES GRANDES VACANCES N'ONT MÊME PAS COMMENCÉ ?

J'ÉTAIS POURTANT PERSUADÉE QUE J'AVAIS DE LA CHANCE...

SI SEULEMENT JE M'ÉTAIS LEVÉE PLUS TÔT...

SI J'ÉTAIS PLUS DOUÉE EN CUISINE...
SI J'AVAIS RÉUSSI MON INTERRO...
DANS CES CAS-LÀ...

VLAAAAAM

J'AI VRAIMENT PAS DE BOL AUJOUR-D'HUI...
CRAAASH

BIP
BIP
BIP
BIP
BIIIP

OUCH !
VZZ
VZZ
VZZ
VZZ

...
...
TIENS ?
VZZ
VZZ
VZZ
BON DIEU !!

TU POURRAIS PAS REGARDER DEVANT TOI !
GRRRRR
OUPS

GRRR GRRR GRRR GRRR
C'EST TOI QUI M'AS FONCÉE DEDANS ! TU POURRAIS AU MOINS T'EXCUSER !
EUH... OUI ! JE SUIS DÉSOLÉE...
HI HYAA

RHAA, LES JEUNES !
SI TU CONTINUES COMME ÇA, IL VA VRAIMENT T'ARRIVER UN ACCIDENT GRAVE, UN JOUR !
TU DEVRAIS FAIRE PLUS ATTEN-TION !

BLA BLA BLA
YAKINI
BLA BLA

DANG
DANG

HEIN ?
DANG
DANG
ET MON ACCIDENT ?

JE NE SUIS MÊME PAS BLESSÉE...
HA !

KYAAAAA ! LES PÊCHES !!
TACATAC
TACATAC
FIOOU
FINALEMENT... J'AI PEUT-ÊTRE PLUS DE VEINE QUE JE CROYAIS !

IL Y A QUELQU'UN POUR VOUS, MME YOSHIYAMA !

MUSÉE NATIONAL DE TÔKYÔ
ET AU MOMENT OÙ JE ME SUIS RÉVEILLÉE, J'ÉTAIT REVENUE JUSTE AVANT L'ACCIDENT !
COMME S'IL NE S'ÉTAIT RIEN PASSÉ !
VRAIMENT ? DANS CE CAS...
TU AS DÛ FAIRE UN SAUT DANS LE TEMPS, MAKOTO.

UN SAUT DANS LE TEMPS !?
C'EST QUOI, C'T'AFFAIRE !?
NORMALEMENT, ON NE PEUT PAS REMONTER LE COURS DU TEMPS.
MAIS TOI, MAKOTO, TU L'AS FAIT.
ÇA VEUT DIRE QUE TU AS RÉUSSI À SAUTER D'UN POINT DE L'ESPACE TEMPOREL À UN AUTRE.

NE T'INQUIÈTE PAS, ÇA ARRIVE SOUVENT AUX JEUNES FILLES DE TON ÂGE.
MOI AUSSI, JE L'AI FAIT.
SANS BLAGUE ?
JE SUIS SÉRIEUSE !
PAR EXEMPLE, QUAND JE FAIS LA GRASSE MATINÉE, LE DIMANCHE MATIN, ET QUE JE ME DIS "JE N'AI VRAIMENT ENVIE DE RIEN FAIRE, AUJOURD'HUI !"...

EH BIEN, IL SUFFIT QUE JE RESTE QUELQUE TEMPS SUR MON FUTON, ET HOP, LA NUIT COMMENCE DÉJÀ À TOMBER ! INCROYABLE, TU NE TROUVES PAS ?
CRAMPE
MAIS TATIE... ÇA N'A RIEN À VOIR, ÇA...

SOURIRE
C'EST VRAI !

MOI, JE NE PEUX PLUS REMONTER DANS LE TEMPS.

UN "SAUT DANS L'ESPACE-TEMPS" ?
ALLEZ, MONTRE À TA TANTE COMMENT TU SAUTES DANS LE TEMPS !
BLOB
BLOB
...
MAIS JE NE PEUX PAS !
AH BON ? MAIS, SI TU AS PIGÉ LE TRUC, TU DEVRAIS POUVOIR LE REFAIRE, NON ?
C'EST PAS POSSIBLE !
PAS POSSIBLE !!
SPLAAT

MAIS À CE MOMENT-LÀ...
3001

JE SUIS SÛRE QU'IL S'EST PASSÉ QUELQUE CHOSE DANS MON CORPS.

HUMM

DING
BON !!

BROUUM
!?

AÏAÏAÏ-AÏAÏE ...
VOYONS L'HEURE QU'IL EST, MAINTENANT...

AAAAH, NAAAN ! ÇA N'A PAS BOUGÉ D'UNE MINUTE !
ÇA NE MARCHE PAS QUAND JE SAUTE DE MON LIT.
BIP

IL FAUT SÛREMENT QUE JE SAUTE DE PLUS HAUT !

GRANDE SŒUR !!!
JE NE VEUX PAS QUE TU MEURES !!
BAM
HEIN ?
KYAAAAAA !?

SHBAM

TOUT ÇA PARCE QUE J'AI MANGÉ LE DERNIER FLAN QUI RESTAIT...
QUE !?
C'EST POUR ÇA QUE TU VEUX TE SUICIDER, MAKOTO !?
MAIS MIYUKI !?
BON, JE SORS PRENDRE UN PEU L'AIR !
OUIIIIN
SURTOUT FAIS PAS DE BÊTISE !
JE VAIS QUAND MÊME PAS ME SUICIDER POUR UN FLAN !
CRII

"IL EST IMPOSSIBLE DE REMONTER LE COURS DU TEMPS."
"MAIS TOI, MAKOTO, TU L'AS FAIT."

"ÇA VEUT DIRE QUE TU AS RÉUSSI À SAUTER D'UN POINT DE L'ESPACE-TEMPS À UN AUTRE."
FAUT CROIRE...
QUE CE N'ÉTAIT QU'UN RÊVE DE PLUS.

MAIS NON ! J'AI QUAND MÊME RÉUSSI
À ME SAUVER LA VIE, DANS CETTE HIS-TOIRE !
HA HA HA HA
ÇA VEUT DIRE QU'IL ME RESTE ENCORE UNE CHOSE À ACCOM-PLIR ! QUELLE QU'ELLE SOIT !

HÉ, TU VEUX SAVOIR UN TRUC ?
SI TU LANCES LA PIERRE CORRECTE-MENT...

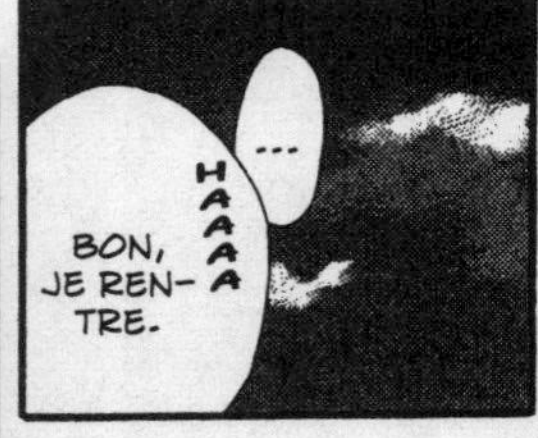
...
HAAAA
BON, JE REN-TRE.

LA PIERRE PEUT SE TÉLÉPORTER !

QUOI !?

SE TÉLÉPORTER !?
J'TE JURE !! REGARDE !
IL FAUT FAIRE COMME ÇA, AVEC LA PIERRE DANS LA MAIN DROITE...

ENSUITE TU LA LANCES EN Y METTANT...
TOUTE TA FORCE !
SHWIII

PLOUF
SPLATCH

SPLAF

ELLE EST CARRÉMENT RESSORTIE À UN AUTRE ENDROIT !
T'AS VU !
WAOUUUH ! C'EST VRAIMENT SUPER !
SE TÉLÉPORTER...
BON, J'ESSAYE ENCORE UNE FOIS !
1...

2...
TAP
TAP
TAP
TAP

DASH
3 !

BLAM
BLAM
POUUUM

AÏE !
OUCH !

!!

TCHAC
SI J'AI VRAIMENT SAUTÉ À TRAVERS LE TEMPS !...
PAM

...
LE FLAN EST ENCORE LÀ...

ÇA VOUDRAIT DIRE QU'AUJOURD'HUI, C'EST...
HIER ?
ME REVOILÀ !

FLAAN FLAAN !

MON FLAN !
AH !

MAKO-TOOOOO !
TU M'AVAIS DIT QUE TU DEVAIS JOUER AVEC KÔSUKE ET CIE, APRÈS LES COURS !
JE VOULAIS LE MANGER, MOI !
HI HI HI
TU ES VRAIMENT TROP NAÏVE, MIYUKI !!!
TU EN RESTES COMME DEUX RONDS DE FLAN !

DING
MAINTENANT, TA GRANDE SŒUR...

A DES SUPER-POUVOIRS !!
ガタン
TOUDOUM
カタタ
TOUDOUM

Moment : 02
Chiaki

COMME ME L'A EXPLIQUÉ MA TATIE SORCIÈRE :
MAKOTO KONNO EST MORTE...

DANS UN "ACCIDENT DE TRAIN".

MAIS ÇA N'EST PAS ARRIVÉ...
CAR MAKOTO EST RETOURNÉE DANS LE PASSÉ.

C'EST CE QU'ON APPELLE UN "SAUT DANS LE TEMPS".

CLANG
LES GRANDES VACANCES !

LES GRANDES VACANCES !!

WAAAAA
BRAIIILLE
HÉ ! MAKOTO !
LES GRANDES VACAAAAN-CES !
PEUH!
CLANG
C'EST TOUJOURS PAS...

TOKYO DOME
MAIS QU'EST-CE QUE TU AS, CE SOIR ?

TU NOUS APPELLES POUR VENIR VOIR LE MATCH AU STADE...
ON N'A PAS QUE ÇA À FOUTRE, NOUS ! ON EST EN PREMIÈRE...
RHOO, KÔSUKE...
MEUH
TU RÉPÈTES TOUT LE TEMPS LA MÊME CHOSE !!

HEIN ?
QUAND !?
J'AI DÉJÀ DIT ÇA ?
EH OUI, PARCE QUE MOI, CE N'EST PAS LA PREMIÈRE FOIS QUE JE TRAVERSE CE TEMPS...

LA PREMIÈRE FOIS, ON A JOUÉ AU BASE-BALL DE NUIT...
LA DEUXIÈME, ON A ÉTÉ CHANTER AU KARAOKÉ...

ET PUIS LA TROISIÈME... LA QUATRIÈME... LA CINQUIÈME... ET MAINTENANT ON A MÊME ÉTÉ VOIR UN MATCH AU STADE !
TOUT ÇA...

PARCE QUE JE N'ARRÊTE PAS DE REVENIR DANS LE PASSÉ !
C'EST PEUT-ÊTRE PAS LES GRANDES VACANCES, MAIS POUR MOI, C'EST DÉJÀ LES VACANCES...
C'EST TROP BIEN, LE "SAUT DANS LE TEMPS" !!!!
KIIIIIHIHI
MAIS LE PROBLÈME, C'EST PAS CE QUE J'AI FAIT "HIER"...

MAIS PLUTÔT LA MANIÈRE DONT JE VAIS POUVOIR TRANS-FORMER "DEMAIN" !!!!
NYAAAAH !!
HÉ, TU TROUVES PAS QU'ELLE EST BIZARRE, CE SOIR ?
MU HA HA HA
OUAIP !
DÉFINITI-VEMENT CINGLÉE !

DING
DONG
DANG
DONG
BONJOUR !
SALUT !

C'EST PAS VRAI !?

HÉ HÉ HÉ ...
TU ES EN RETARD, CHIAKI...
QU'EST-CE QUE TU FAIS DÉJÀ LÀ !?
OUAIS. C'EST DU JAMAIS VU.

PARCE QU'AUJOURD'HUI, J'AI COMPLÈTEMENT CHANGÉ !
LE COURS COMMENCE !
MON-SIEUR !
CLANG
PROFES-SEUR !
HEIN ?
HA HA HA
UNE INTÉRRO SURPRISE ?
?!
FUU
FUU
FUU
FUU
?
FUU

TADA
ろん
!?
J'AI FINI.
C'EST DINGUE ! J'Y CROIS PAS...
BROUAHAHAHAHA
...
SANS DÉC' ?

HI HI HI
TAKASE, TU VEUX PAS JETER UN COUP D'ŒIL À MON GRATIN ?
MOI, JE VAIS COUPER LES LÉGUMES !
OH ...
D'ACCORD !

TCHAC

ALORS, IL EN EST OÙ, LE GRATIN, TAKASE ?
HEIN ?

GAAAAAH
IL EST CARBONISÉÉÉ !!
...
HA HA...
C'EST UNE BLAGUE ?
TA-KASEEE !!

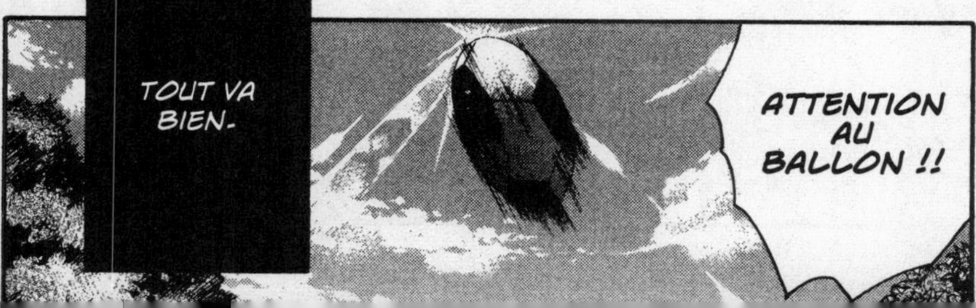
ATTENTION AU BALLON !!
TOUT VA BIEN.

AUJOURD'HUI ...
BA
BOUM
WAOUH, MAKOTO !!?
WA HA HA HA
LE ROBINET !!
OH LA LA T'AS VU ?

JE CROIS QUE...
HÉÉ, TOI !!
HÉÉ, TOI !!
NYARK
NYARK
NYARK

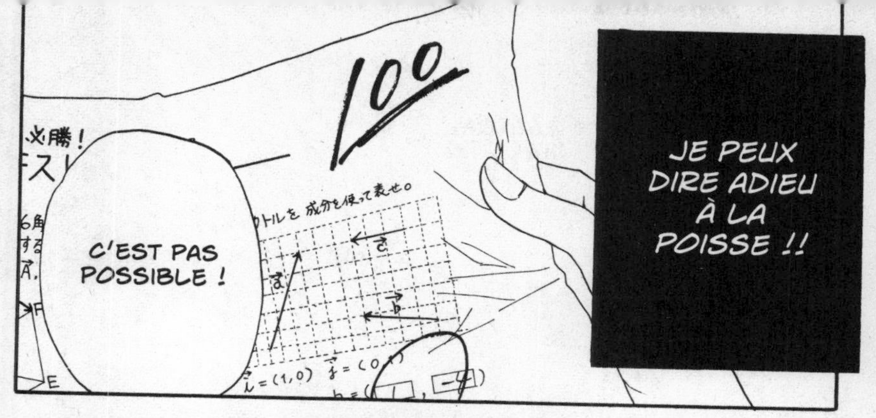
JE PEUX DIRE ADIEU À LA POISSE !!
100
C'EST PAS POSSIBLE !

ぱしん
SLAP
ET SIII ! C'EST VRAI !
TU SAIS MÊME PAS ÉCRIRE LE MOT "ÉTUDIER" SANS FAIRE DE FAUTE...
ET T'AS EU 100 SUR 100...
ET EN PLUS...
T'AS RÉUSSI À RATTRAPER MA BALLE !

DOMMAGE POUR TOI, CHIAKI ! JE SUIS CAPABLE D'ATTRAPER N'IMPORTE QUELLE BALLE !
KEUWAAH ?
BORDEL !
POUR LE CONTRÔLE, JE VEUX BIEN, MAIS COMMENT T'AS FAIT POUR ÉCHAPPER AU NETTOYAGE DE LA CLASSE ?
JE CROYAIS QUE TU DEVAIS RANGER LES CAHIERS !

AH !
AUJOURD-D'HUI, C'EST YURI QUI S'EN OCCUPE !
QUOI ? LA PAUVRE YURI...

PAS QUESTION QUE JE RETOURNE DANS LE LABO !
C'EST BON ! JE LA REMPLACERAI QUAND ÇA SERA SON TOUR !

QUOI QU'IL EN SOIT...
ON DIRAIT BIEN QU'AUJOUR-D'HUI ...
CLANG
JE VAIS GAGNER TOUS LES MATCHS !
WAAAA ! ELLE A ENCORE ATTRAPÉ MA BALLE !

C'ÉTAIT DÉLICIEUX !

HEIN ? TU TROUVES AUSSI ?
ELLE EST TROP BONNE, CETTE GLACE !
ELLE EST UN PEU CHÈRE, MAIS IL SUFFIT QUE JE FASSE UN SAUT DANS LE TEMPS POUR RÉCUPÉRER MA MONNAIE !
ALORS RÉGALE-TOI, TATIE !
ET VOILÀ !
ET VOILÀ !

ON DIRAIT BIEN QUE TU PRENDS CETTE HISTOIRE DE SAUTS DANS LE TEMPS UN PEU À LA LÉGÈRE...
MEUH!

C'EST ...
C'EST PAS VRAI DU TOUT !!

ÇA M'A PERMIS DE VOIR LA SÉRIE TÉLÉ QUE J'AVAIS LOUPÉE.
JE N'OUBLIE PLUS MES AF-FAIRES, ET JE NE SUIS PLUS JAMAIS EN RETARD.
J'AI MÊME EU 100 SUR 100 À MON CONTRÔLE !

C'EST TELLEMENT BON QUE J'EN PEUX PLUS...
DE SAUTER DANS LE TEMPS !!
HA HA HA HA HA
TOI, TU NE VOIS PEUT-ÊTRE QUE LE BON CÔTÉ DES CHOSES...
MAIS IL Y A SÛREMENT DES GENS QUI EN SUBISSENT LES MAUVAIS CÔTÉS.

HEIN ?
TAC

カタターン
TAGADAM

TU... TU CROIS QU'IL Y EN A VRAIMENT ?
QUI SAIT ?
キュ
CROUI

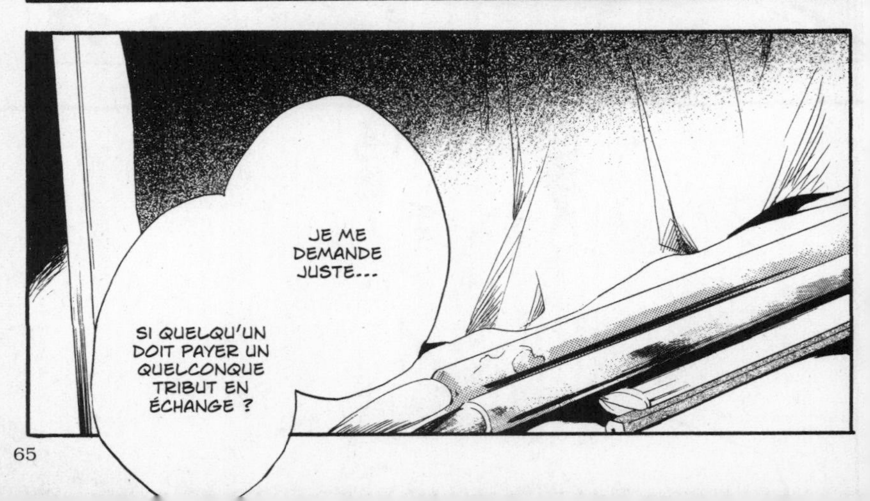
JE ME DEMANDE JUSTE...
SI QUELQU'UN DOIT PAYER UN QUELCONQUE TRIBUT EN ÉCHANGE ?

FROUT
MAIS...

MAIS NON, TOUT IRA BIEN !
DE TOUTE FAÇON, JE PEUX SAUTER DANS LE TEMPS !?

MÊME SI JE FAIS UNE BÊTISE, JE POURRAI TOUJOURS REMONTER DANS LE TEMPS POUR LA RÉPARER !
TU CROIS VRAIMENT ?

SI IL N'Y A VRAIMENT RIEN DE CE GENRE QUI SE PASSE... TANT MIEUX... MAIS...

ALORS... EUH...
KÔSUKE...

AAH... MAIS C'EST QUE...
VOILÀ...
HOP
EXCUSE-MOI.

JE SUIS VRAIMENT DÉSOLÉ.
CE N'EST RIEN ! JE VOUS SOUHAITE BEAUCOUP DE BONHEUR !

HEIIIIIN ?
LA NANA DE SECONDE QUI SIÈGE AU CONSEIL DES ÉLÈVES, T'A FAIT UNE DÉCLARATION !!?

C'EST BIEN CELLE QUI TE COURAIT TOUJOURS APRÈS POUR T'AIDER ?
ET T'AS REFUSÉ !?
...
QUEL ABRUTIIII !
MOI, À TA PLACE, JE SERAIS CARRÉMENT SORTI AVEC ELLE !

ET POURQUOI ? POURQUOI TU AS REFUSÉ ?
PSHT
Z'ALLEZ LA FERMER ?
T'ES GAY ?
JE SAIS PAS... JE SAURAIS PAS VRAIMENT L'EXPLIQUER...

DISONS QUE... JE DOIS SUIVRE MON PROPRE CHEMIN...
HEIIN ?
ÇA VEUT DIRE QUOI, ÇA ?

À PARTIR D'ICI

TU VAS PAS REGRETTER ?
TU VEUX PEUT-ÊTRE QUE JE VIENNE TE FILER UN COUP DE MAIN ?
BON, ON PEUT CHANGER DE SUJET ?

BON, À DEMAIN !
SALUT !
TIENS ? T'AS PAS TON VÉLO, MAKOTO ?
SHLANG
AH, EUH... J'AI CREVÉ...
TU VEUX QUE JE TE DÉPOSE ?
VRAIMENT !?
♡ C'EST GENTIL !

VRRRRR

BON SANG... DIRE QU'UNE FILLE LUI A FAIT UNE DÉCLARATION AVANT QUE ÇA M'ARRIVE...
JE CROYAIS QUE C'ÉTAIT L'APPARENCE QUI ÉTAIT LA PLUS IMPORTANTE POUR LEUR EN METTRE PLEIN LA VUE !!
ZAAA
JE ME DEMANDE SI C'EST VRAI...
TCHILILILI
HEIN ?
TU CROIS VRAIMENT QUE KÔSUKE N'AVAIT PAS ENVIE DE SORTIR AVEC ELLE ?

C'EST QUAND MÊME LE PORTRAIT CRACHÉ DE LA FILLE SUR QUI IL FLASHAIT QUAND ON ÉTAIT AU COLLÈGE !

IL MANQUE DE PASSION, NOTRE KÔSUKE !

TU CROIS VRAIMENT ? PEUT-ÊTRE...
QUOI QU'IL EN SOIT, JE SUIS UN PEU SOULAGÉE !
AH !?

BEN OUI... J'ADORE JOUER AU BASE-BALL AVEC VOUS DEUX.
ON N'EST QUE TROIS, ET IL N'Y A PAS D'ÉQUIPE, MAIS ON S'AMUSE ÉNORMÉMENT.
MAIS S'IL AVAIT UNE PETITE AMIE, IL DEVRAIT SÛREMENT ARRÊTER LE BASE-BALL, TU NE CROIS PAS ?

POUR TOUT TE DIRE...
J'AVAIS L'IMPRESSION QU'ON RESTERAIT TOUJOURS ENSEMBLE, TOUS LES TROIS.
SE FAIRE ENGUEULER PAR KÔSUKE QUAND ON ARRIVE EN RETARD...

ME FAIRE VANNER PAR CHIAKI QUAND J'ARRIVE PAS À RATTRAPER LA BALLE...
JE VOUDRAIS QUE TOUT ÇA CONTINUE... ENCORE ET ENCORE...

CLICLING
ALORS ÇA TE DIRAIT PAS DE SORTIR AVEC MOI ?

PARDON ?

C'EST QUOI, C'T'HISTOIRE ? POURQUOI TU M'DIS ÇA, TOUT À COUP ?
SI TU SORS AVEC MOI, ON POURRA TOUJOURS JOUER AU BASE-BALL, ET ON POURRA MÊME ALLER VOIR LES MATCHS AU STADE.
ET PUIS JE SUIS PLUTÔT BEAU MEC, NON ?
QUOI!?!
T'ES SÉRIEUX ?

JE SUIS
SÉRIEUX.

HEIN !?
COMMENT... ?!!!
C'EST PAS VRAI ! J'Y CROIS PAS !?
GWAAAA
MAKOTO ?
IL FAUT QUE JE RETOURNE...
IL FAUT QUE JE RETOURNE...
BOUM

IL FAUT QUE JE RE...
BZIOUUU
!!!
KYAAAAAA
AAAH...

BON SANG... DIRE QU'UNE FILLE LUI A FAIT UNE DÉCLARATION AVANT QUE ÇA M'ARRIVE À MOI...

JE CROYAIS QUE C'ÉTAIT L'APPARENCE QUI ÉTAIT LA PLUS IMPORTANTE POUR LEUR EN METTRE PLEIN LA VUE !!
...
C'EST BON, JE SUIS RE-VENUE !
HAA
HAA

BON, IL FAUT CHANGER DE SUJET !!
BEN C'EST JUSTE QUE T'AS PAS ENCORE DÉCIDÉ AVEC QUI TU VOULAIS SORTIR !
SI ÇA SE TROUVE, UN JOUR, ON NE POURRA PLUS FAIRE DE BASE-BALL, TOUS LES TROIS.

DANG
DANS CE CAS, MAKOTO...
TU VOUDRAIS PAS SORTIR AVEC MOI ?

E CROTTE

MAIS SINON...
MAIS POURQUOI TU T'ENTÊTES COMME ÇA ?
J'AI BEAU REMONTER LE TEMPS PLEIN DE FOIS...
TOI ET MOI...
SORTIR EN...
MAIS POURQUOI ÇA FINIT TOUJOURS COMME ÇA !!
FLASH
J'ESPÈRE QUE TU NE REGRETTERAS PAS TA DÉCISION !

JE NE REGRETTE RIEN ! BON, À DEMAIN...
OH !
À PARTIR D'ICI
TIENS ? T'AS PAS TON VÉLO, MAKOTO ?
TU MONTES AVEC MOI ?
FLAP
FLAP

...
FLAP
NON, ÇA IRA...
FLAP

QU'EST-CE QUI LUI ARRIVE ?
CHUIS SÛR QUE ÇA DOIT ÊTRE DE TA FAUTE !
AAH !

KSSS
KSSS

ÇA SE FINIT BIEN...
KSSS

COMME ÇA ON RESTERA TOUS LES TROIS...

TU AURAIS PEUT-ÊTRE DÛ TE CONTENTER DE LUI DIRE OUI...

MEEUUUH --
TU VAS PAS RECOMMENCER, TATIE...
SI ÇA C'ÉTAIT MAL PASSÉ, TU AURAIS TOUJOURS PU REMONTER LE TEMPS, NON ?

MAIS JE NE SUIS PAS AMOUREUSE DE CHIAKI !!
TU SAIS, DES FOIS, ON PEUT TOMBER AMOUREUX DES GENS QUAND ON ACCEPTE LEUR AMOUR.
AH NON ! AH NON ! SURTOUT PAS ÇA !
MAIS FINALEMENT... TU AS RÉUSSI À ÉVITER QUE ÇA SE PRODUISE.

CHIAKI A SÛREMENT PRIS BEAUCOUP SUR LUI POUR TE FAIRE SA DÉCLARATION...
C'EST VRAI...
CRRI
MAINTENANT QUE TU LE DIS...
HÉ HO ! MAKOTO !
SALUT !
SALUT !

!!
T'AS VU LE MATCH D'HIER SOIR ? SAITÔ A ÉTÉ TERRIBLE, EN DÉFENSE !
J'AI HÂTE D'ÊTRE JEU...
ZOUIP

POURQUOI TU DÉTOURNES TES YEUX DE MOI, MAKOTO ?
HEIN !? MAIS J'AI RIEN DÉTOURNÉ DU TOUT !
BAH VOYONS ! JE ME DEMANDE BIEN CE QUE TU MANIGANCES...
...
TU SAIS QUELQUE CHOSE, YURI ?
HEIN ? EUH... BEN...
MAIS PUISQUE JE TE DIS QUE C'EST RIEN !!

QU'EST-CE QUI SE PASSE ?
HA !
C'EST RIEN... IL FAUT QUE JE RETOURNE EN COURS !
SALUT !!
HÉ ! ATTENDS UN PEU, MAKOTO...

WHAOU !
WHAOU !
L'HEBDO DU BASE-BALL
CRÉÉÉTIN !
HÉ, MAKOTO !!
VIENS VOIR ÇA...
CLANG

...
FOUIT
DIS DONC... QU'EST-CE QUE TU LUI AS FAIT, À MAKOTO ?

HEIN !? MAIS JE LUI AI RIEN FAIT !!
ENFIN... JE CROIS.

NON, RIEN-
HOP

POURTANT, CE CHIAKI-LÀ...
NE M'A JAMAIS FAIT SA DÉCLARATION...

QU'EST-CE QUE JE DOIS FAIRE ? JE N'ARRIVE PLUS À LE REGARDER COMME AVANT !
MAKOTO !

HEIN ?
CLANG

C'EST QUOI, LE PROBLÈME ?
QU'EST-CE QUE JE T'AI FAIT ?

OUPS
EUH... RIEN !

AH BON ?
BON, BEN DANS CE CAS... TOUT VA BIEN...

ALLONS, TU M'AS RIEN FAIT !
FAUT PAS S'ÉNERVER COMME ÇA, CHIAKI !
HA HA

J'AI VRAIMENT HORREUR DE CE GENRE D'HISTOIRE.
COMME ÇA...

COMME ÇA TOUT EST RÉGLÉ.

HAYAKAWA... TU VEUX DIRE AVEC YURI !?
HOP
OUAIS, IL PARAÎT QUE C'EST LE GRAND AMOUR, ET TOUT LE TOUTIM...

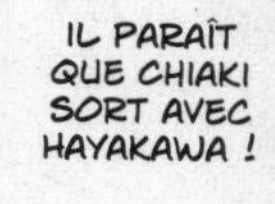
IL PARAÎT QUE CHIAKI SORT AVEC HAYAKAWA !

ILS VONT ALLER VOIR LE MATCH DE CE SOIR ENSEMBLE.
DÉCIDÉMENT, IL SE PREND PAS LA TÊTE, LUI !

FINALEMENT, ON N'EST PLUS VRAIMENT ENSEMBLE, TOUS LES TROIS...
QU'EST-CE QUE ÇA VEUT DIRE ??

CLAP
ALLER AU MATCH !!
MAIS QUEL MUFLE !!
BOUM

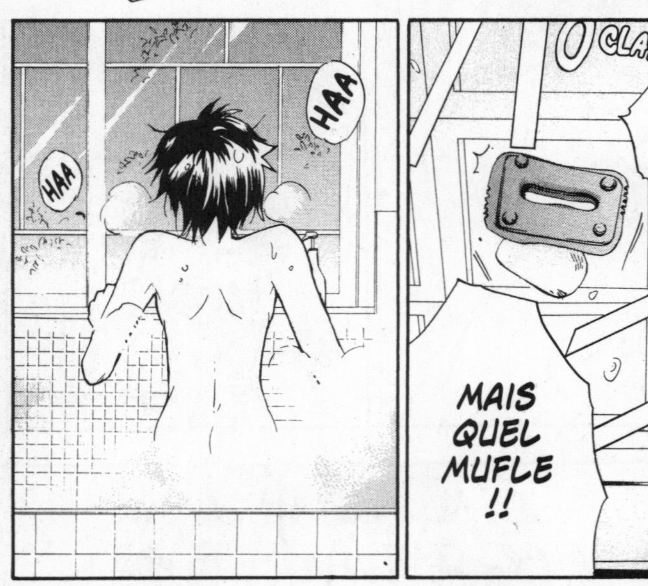
HAA
HAA

PLOUF
PEUH, J'EN AI MARRE ...

JE CROYAIS QU'IL ÉTAIT AMOUREUX DE MOI...
EN FAIT, TOUT CE QU'IL VOULAIT, C'ÉTAIT SORTIR AVEC LA PREMIÈRE VENUE !

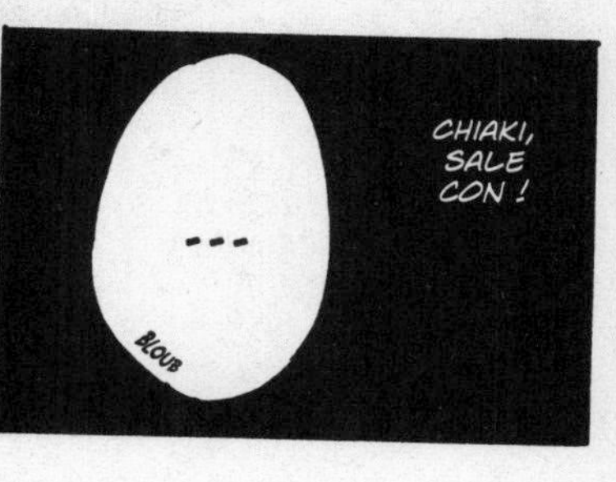
CHIAKI, SALE CON !
...
BLOUB

ARRGH, J'AI LES YEUX QUI PIQUENT...
SNIF
FROTTE
FROTTE

SPLASH
BUWAHAAA ! JE...
JE MEURS !

TIENS ?

C'EST QUOI, CE TRUC ?
IL Y A QUELQUE CHOSE D'ÉCRIT ?

QUATRE-VINGT DIX ?

TCHAC

C'EST POUR BIENTÔT...
FOUIT

BIENTÔT, JE VAIS POUVOIR...
"TE" RETROUVER ...

Moment : 03
Kôsuke
酒

HAHAHA

!
TAP
TAP
MAKOTO !!

CHIAKI ET MOI, ON VOULAIT DÉJEUNER ENSEMBLE LE MIDI.
T'ES D'ACCORD ?
EUH... OUI ?
MERCI !!

TU T'ES DISPUTÉE AVEC CHIAKI ?

HEIN !? MAIS BIEN SÛR...
QUE NON !
SWOOSH
DANS CE CAS... T'AS PEUT-ÊTRE REPOUSSÉ SES AVANCES ?
SPLATCH
HEIN !?
FLOUU
AH ! FAIS GAFFE !

ばいぃん
BOING
AAAARRG

FAUT FAIRE GAFFE !
AÏAÏAÏE
JE SUIS DÉSOLÉE.

DÉCIDÉMENT, TU N'ARRÊTERAS JAMAIS DE NOUS FILER DES SUEURS FROIDES !
T'ES TOUJOURS EN TRAIN DE TE BLESSER...
VOUS VOUS ÊTES SÛREMENT DISPUTÉS, POUR QUE ÇA TE TRAVAILLE À CE POINT...
PUISQUE JE TE DIS QUE NON !

TU SAIS, MOI AUSSI, AU DÉBUT, JE ME SUIS DISPUTÉ AVEC CHIAKI.
カチーン
DANG
MAIS PUISQUE JE TE DIS QU'ON S'EST PAS DISPUTÉS !
HEIN ?

C'EST VRAI ?

C'ÉTAIT À L'ÉPOQUE OÙ IL VENAIT DE CHANGER D'ÉCOLE.
IL NE PARLAIT À PERSONNE, ET IL ARRÊTAIT PAS DE TREMPER DANS DES SALES MAGOUILLES.

T'ES VRAIMENT SUPER DIRECTE COMME FILLE, MAKOTO !

TU FAISAIS MÊME PAS PARTIE D'UN CLUB !

ON AVAIT BESOIN DE JOUEURS, JE TE RAP-PELLE !

IL AVAIT VRAIMENT UN SALE CARACTÈRE À L'ÉPOQUE !
MAIS PETIT À PETIT, IL S'EST CALMÉ.
...
TU NE CROIS PAS QUE S'IL A CHANGÉ, C'EST GRÂCE À TON INFLUENCE ?
BROU
HAAH
MAIS SI ON N'EST PLUS QUE DEUX...
IL VA FALLOIR QU'ON JOUE À SE LANCER LA BALLE...

AÏÏÏE
MAIS À QUOI TU JOUES ?
ÇA VA PAS DE ME TAPER COMME ÇA ?
ÇA TE DIRAIT PAS QU'ON PARTE EN VOYAGE, PENDANT LES GRANDES VACANCES ?
QU'EST-CE QU'ON ATTEND, ALORS ?
POUM
OUCH !

JUSTE TOUS LES DEUX.

MUSÉE NATIONAL DE TÔKYÔ
ET SI TU SORTAIS AVEC LUI ?
C'EST PAS VRAI !
PFIOU

MÊME TOI TATIE, TU VIENS ME RACONTER DES TRUCS PAREILS !!
PERSONNEL DU MUSÉE
TU CROIS PAS QUE C'EST POUR ÇA QU'ON T'APPELLE "LA SORCIÈRE" ?

MAIS MAKOTO, TU POURRAS TOUJOURS FAIRE UN SAUT DANS LE TEMPS !

DING
MAIS JE PRÉFÈRE NE PAS UTILISER LES SAUTS DANS LE TEMPS POUR MANIPULER LES "SENTIMENTS".

PARCE QUE TU CROIS QUE C'EST SI IMPORTANT QUE ÇA, LES SENTIMENTS ?
QUOI ?

LES SENTIMENTS PEUVENT ÉVOLUER...

AH ! ÇA VOUDRAIT DIRE...
HI HI HI !
TIENS, EN FAIT, POURQUOI TU NE TRAVAILLES PAS, AUJOURD'HUI ?

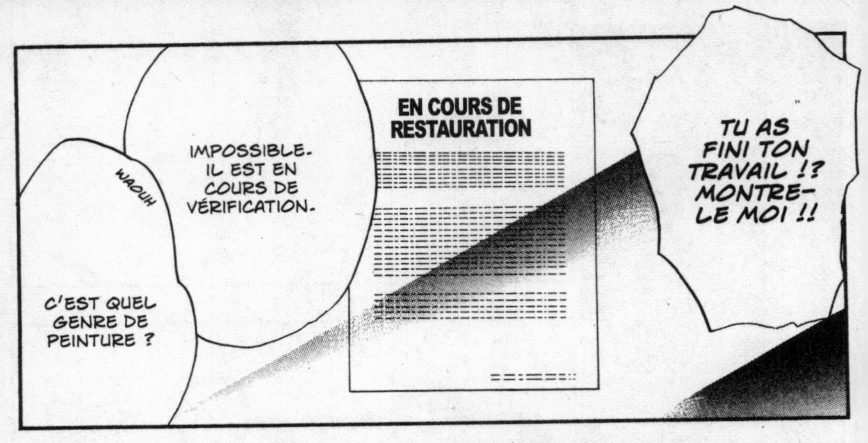
TU AS FINI TON TRAVAIL !? MONTRE-LE MOI !!
EN COURS DE RESTAURATION
IMPOSSIBLE. IL EST EN COURS DE VÉRIFICATION.
WAOUH
C'EST QUEL GENRE DE PEINTURE ?

UNE PEINTURE BIZARRE.

LES COULEURS SONT CHALEUREUSES, ET L'EXPRESSION EST SEREINE.
BIEN QU'À L'ÉPOQUE, CETTE ŒUVRE...
A ÉTÉ PEINTE EN PLEINE PÉRIODE DE GUERRE ET DE FAMINE.

DANS UNE ATMOSPHÈRE DE TRISTESSE ET DE DOULEUR...

JE ME DEMANDE VRAIMENT QUELLES ÉTAIENT LES MOTIVATIONS DU PEINTRE ?

KONNO !

KONNOOO !!
EUH... OUIII !
PAM

TU ES LA SEULE QUI N'A PAS ENCORE REMIS SA DEMANDE D'ORIENTATION POUR L'ANNÉE PROCHAINE.
ALORS, QU'EST-CE QUE TU COMPTES FAIRE ?

TU HÉSITES ENCORE À CAUSE DES BONNES NOTES QUE TU AS EUES RÉCEMMENT ?
C'EST... C'EST ÇA !

À PART ÇA...
? OU...

TCHAC
SALLE DES PROFESSEURS
AU REVOIR ...
CLAP

MAIS C'EST QUOI, CE CHIFFRE ?
LA DERNIÈRE FOIS, C'ÉTAIT 90, ET MAINTENANT C'EST 50...

JE DEVRAIS PEUT-ÊTRE DEMANDER CONSEIL À TATIE SORCIÈRE...
TAP
TAP

SWISH
KYAA
HM ?
ÇA...
ÇA CRAINT !

RE...
RETOUR DANS LE PASSÉ !!!

C'EST VRAIMENT BIZARRE... LA DERNIÈRE FOIS, C'ÉTAIT 90, ET MAINTENANT, C'EST 50...
JE DEVRAIS PEUT-ÊTRE DEMANDER SON CONSEIL À TATIE SORCIÈRE...
TAP
TAP
TAP
AAH !

SWISH
KYAA
ATTENTION !!
BANG
KYAAAA
BOUM
PLAAN

OUILLE OUILLE OUILLE...
C'ÉTAIT MOINS UNE...
LE...
LE CHIFFRE A ENCORE DIMINUÉ !
ALORS C'EST ÇA ! C'EST LE NOMBRE DE SAUT DANS LE TEMPS QUE JE PEUX ENCORE EFFECTUER !!
OUH ...
MERCI BEAUCOUP ! TU M'AS SAUVÉ LA VIE...
TIENS ?

MAIS TU ES... TU CONNAIS KÔSUKE !?
HEIN ?

JE T'EN SUPPLIE ! COMMENT JE POURRAIS TE REMERCIER ?

DIRE QUE CELLE QUI M'A SAUVÉE EST UNE AMIE DE KÔSUKE...
QUELLE DRÔLE DE SURPRISE !

C'EST BON ! C'EST BON ! PAS BESOIN DE ÇA !
JE SUIS BIEN CONTENTE QU'ON SOIT TOUTES LES DEUX INDEMNES !

EUH ...
À VRAI DIRE, IL NOUS A UN PEU PARLÉ DE TOI, KAHO.
EXCUSE-LE, TU SAIS, IL EST UN PEU BÊTE, PARFOIS...

NON, KÔSUKE EST VRAIMENT TRÈS GENTIL.
HEIN ?
QUAND JE LUI AI DÉCLARÉ MA FLAMME...
J'ÉTAIS TELLEMENT STRESSÉE QUE JE BÉGAYAIS... MAIS IL M'A ÉCOUTÉE JUSQU'AU BOUT, SANS SE MOQUER.
ÇA A SUFFI À ME RENDRE HEUREUSE.

KÔSUKE EST TELLEMENT GENTIL...
QUAND J'AI PERDU LES PAPIERS POUR LE CONSEIL DES ÉLÈVES, IL S'EST DÉBROUILLÉ POUR ME LES RETROUVER.
MÊME SANS MOT DIRE, IL VEILLE SUR MOI.
IL VIENT À MON SECOURS.
SET

JE SUIS HEUREUSE DE CONNAÎTRE QUELQU'UN COMME LUI.

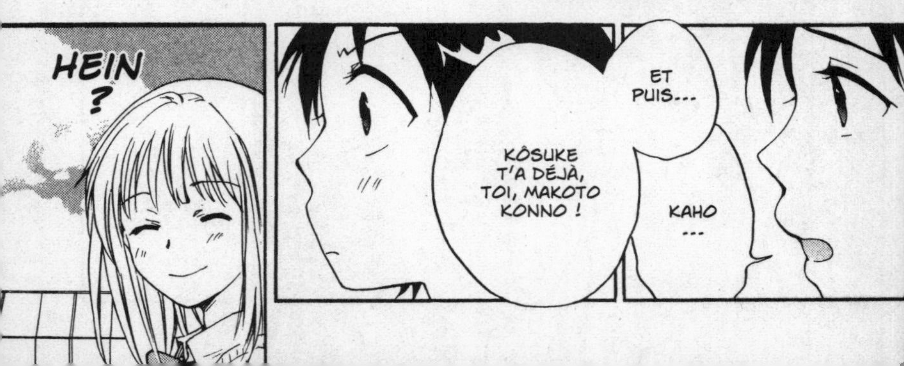
ET PUIS...
KAHO ...
KÔSUKE T'A DÉJÀ, TOI, MAKOTO KONNO !
HEIN ?

JE ME SUIS SOUVENT DEMANDÉ À QUOI TU POUVAIS RESSEMBLER, MAIS TU ES ENCORE PLUS EXTRA QUE JE ME L'IMAGINAIS.
EH BEN, JE VEUX DIRE QU'IL DOIT ÊTRE AMOUREUX DE TOI, NON ?
ATTATTAT-TATTENDS UNE MINUTE !
QU'EST-CE QUE ÇA VEUT DIRE, ÇA !?

AMOUREUX... MAIS D'OÙ EST-CE QUE ÇA SORT, ÇA ?
KÔSUKE ME L'A DIT.

IL Y A UNE FILLE QUI S'APPELLE KONNO... J'AI TOUJOURS PENSÉ QU'ELLE N'ÉTAIT PAS SÉRIEUSE, MAIS EN FAIT, ELLE ÉTUDIE BEAUCOUP EN CACHETTE.
ET JE CROIS QUE JE SUIS TOMBÉ AMOUREUX D'ELLE...

MAIS ...
MAIS NON !!!
HEIN ?

HAA
HAA
IL ME JUGE SUR DES COMPÉTENCES QUE JE N'AI PAS !
KAHO EST MILLE FOIS MIEUX QUE CETTE FAUSSE MOI !!
ALORS KÔSUKE...

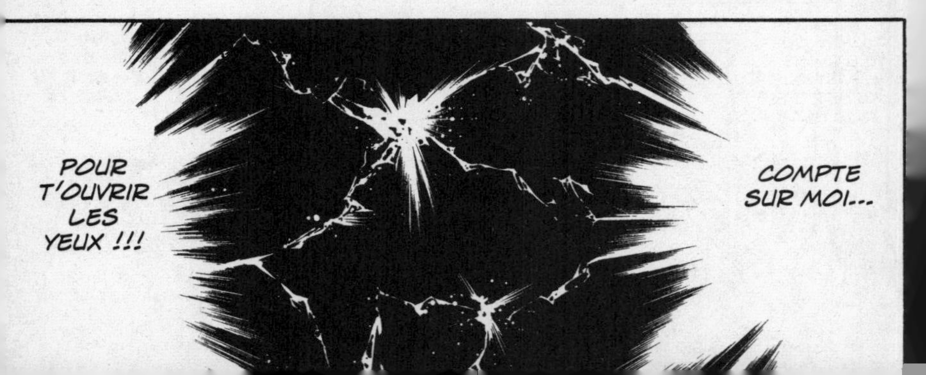
COMPTE SUR MOI...
POUR T'OUVRIR LES YEUX !!!

EXCUSE-MOI.

CE N'EST RIEN ! JE VOUS SOUHAITE BEAUCOUP DE BONHEUR !

ATTENDEEEZ !!!

MAKOTO !? MAIS QU'EST-CE QUE TU FOUS !?
ÉCOUTE-MOI !! T'AS BIEN ÉCOUTÉ CE QU'ELLE VIENT DE TE DIRE !?
HAA
HAA
POUF
POUF
TU AS RETROUVÉ LES DOCUMENTS QU'ELLE AVAIT PERDUS, OUI OU NON ?
ALORS TU VOIS QUE TU L'AIMES ! IL FAUT QUE TU SORTES AVEC ELLE !!
SURPRISE

TU PENSES PAS, KAHO ?
POUR-QUOI...
POURQUOI EST-CE QUE TU ES AU COURANT DE CETTE HISTOIRE ?
J'EN AI JAMAIS PARLÉ À PERSONNE !!

ET D'ABORD... T'ES QUI, TOI ?
BON, MOI, J'Y VAIS, MAKOTO ...
EUH... EH BEN ...

ENCORE ...
ENCORE UNE FOIS !
JE DOIS VOUS DIRE QUE JE...
BAAAM

MA... MAKOTO !?
KÔSUKE !!
JE TE CHERCHAIS, MEC !
DING
MAIS... DE QUOI TU PARLES !?
TU DEVRAIS PEUT-ÊTRE FAIRE UN PEU PLUS ATTENTION À CE QUE VALENT VRAIMENT LES GENS !

TU TROUVES PAS QUE TU ATTACHES UN PEU TROP D'IMPORTANCE AUX NOTES QU'ON A AUX EXAMENS !? C'EST MESQUIN !

ARRÊTE UN PEU DE FRIMER ! LA PROCHAINE FOIS, C'EST MOI QUI TE BATTERAI !
BEN OUI, TIENS ! T'AS QU'À FAIRE ÇA !!! SI T'EN ES CAPABLE !

!!
BASOURDIE
...

REVIENS DANS LE PASSÉ !!!

BONK
43:34:51:03:16
TUM
チュン
チュン
TUM
AM 8:03

SCRATCH
BIP
BIP

BIP
BIP
BOING

JE SUIS REVENUE DANS MA CHAMBRE ?

BIP

J'Y CROIS PAS !

CHÉRI !
MAIS POURQUOI IL EST ENCORE SI TARD !!
TIENS, ON DIRAIT QUE MAKOTO EST ENCORE EN RETARD !

À CE SOIIIIR !
MAKOTO ! IL Y A DES PÊCHES... EUH...
CLANG

JE SUIS REVENUE UN PEU TROP LOIN...

MAIS CETTE FOIS, JE VAIS FAIRE TOUT COMME IL FAUT !!!
DRIIING

COMMENT ÇA...
VROOOOM

HÉ, MAKOTO !

...
C'ÉTAIT QUOI, ÇA ?

...
SE POURRAIT-IL QUE...
キーンコーン
DING
DONG

L'interro surprise
M. Fukushima
la foi !
Dans le repère O, i, j,
un hexagone régulier
comme indiq
sur le schéma
AB=x,
=y
Indiquez les coordonnées
des ve
AE e
GRATTE

DONG
DING
カリカリ...
RRROOON
KONNO !
KONNO !! RÉVEILLEZ-VOUS !!!
RRROOON
...
SECONDE B
BLA
EXCUSEZ-MOI !
EST-CE QUE QUELQU'UN POURRAIT TRANSMETTRE CE MESSAGE À KAHO ?
BLA

Bonjour, Kaho !
"RENDS-TOI DANS LA COUR PENDANT LA PAUSE DE MIDI. C'EST TRÈS IMPORTANT !"
MAIS C'EST QUI, CETTE KONNO ?
QU'EST-CE QUE TU VEUX, MAKOTO ?
ARRÊTE DE RÂLER ET SUIS-MOI !!
J'AI PAS ENCORE DÉJEUNÉ, MOI !
WAAAA

BON ! NOUS SOMMES PILE À L'ENDROIT DU MATCH !!!
ATTENTION AU BALLON !!

OOOM
LE VOILÀ !
ALLEZ, À TOI DE JOUER, KÔSUKE !!!
POUM
HEIN !?

SWISH
BOOUM
ATTENTION ...
WOO !
HEIN ?

WAAAA ! TOUT VA BIEN ?
YEAH ! BRAVO, MON PETIT BALLON !
MEUUH ...
C'EST PAS JOLI JOLI...

METS ÇA EN ATTENDANT.
ALLEZ VIENS, JE T'EMMÈNE À L'INFIRMERIE !

MERCI BEAUCOUP...
TIENS, J'AI PERDU LE MIEN...

MAIS OUI, PUISQUE JE SUIS REVENUE...

DÉCIDÉMENT...

T'ARRÊTERAS JAMAIS DE NOUS FILER DES SUEURS FROIDES !

MERCI, KÔSUKE ---
TAP ぽん
TAP ぽん
BON !

JE DOIS Y ALLER !
CE JOUR-LÀ...

LE JOUR OÙ J'AI CHANGÉ...
IL Y AVAIT UN INCONNU, ICI.

JE SUIS SÛRE QUE CE TYPE...
SAIT QUELQUE CHOSE SUR TOUT ÇA...
GULP

カチャ
TCHAC
CRIII

BOUM
LE VOILÀ !!

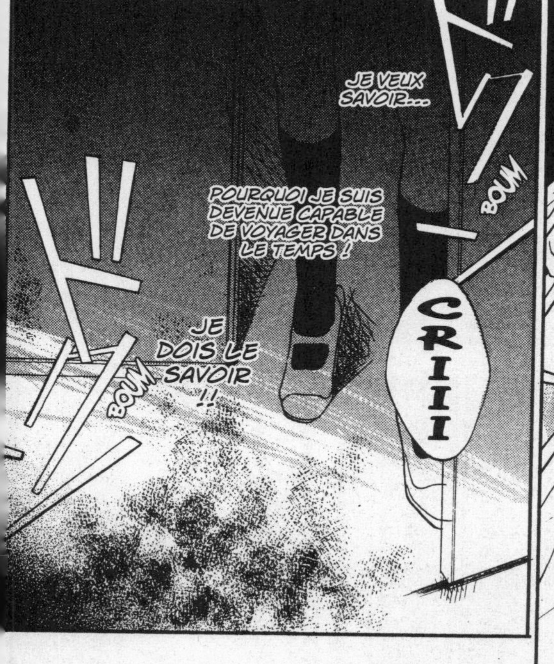
JE VEUX SAVOIR...
POURQUOI JE SUIS DEVENUE CAPABLE DE VOYAGER DANS LE TEMPS !
BOUM
CRIII
JE DOIS LE SAVOIR !!
BOUM

MAKOTO ? T'ES LÀ ?

HEIN ? YURI ?
EUH, OUI ! JE SUIS LÀ !
CLANG
JE CROIS QUE TU AS OUBLIÉ QUE TU ÉTAIS DE CORVÉE, ALORS J'AI RAMENÉ LES CAHIERS...
AH !

DRELIN DRELIN DIIING
HÉÉÉÉ, QUELLE TUILE !
ALORS, FINALEMENT, IL N'Y AVAIT PERSONNE ...
MEUUUH...
CLAP
KÔSUKE ?
Je crois que je me suis fait une petite amie :-) Je t'emprunte ton vélo pour l'emmener à l'hôpital !
Kôsuke

KEUWAA ?
QUEL GOUJAT ! TU SAIS GRÂCE À QUI TU L'AS, TA COPINE ?
QU'EST-CE QUI SE PASSE ?
C'EST KÔSUKE. IL ME PIQUE MON VÉLO POUR EMMENER SA PETITE COPINE...
HEIN ? SA PETITE COPINE ?

MON VÉLO...

MON VÉLO !!
PAM
MAIS... QU'EST-CE QUI T'ARRIVE ?
MAKOTO !!
C'EST CE JOUR-LÀ...
LE JOUR OÙ J'AI SAUTÉ DANS LE TEMPS POUR LA PREMIÈRE FOIS.
ALORS SI LA JOURNÉE SE DÉROULE DE LA MÊME MANIÈRE...

KÔSUKE !
KÔSUKEE !!

VRRRRRR
カン
DANG
カン
DANG
ヴィ
BZZIIIIII
...

IL NE S'EST RIEN PASSÉ ?
OUF !!
HAAAA ...
COUP DE BOL...
TRA LA LA LA ♫
QUI C'EST, ENCORE ...
!!!
TRA LA LA LA
TRA LA LOU LOU
BIP
ALLÔ ?

HÉ, MAKOTO ?
VOUS COMPTEZ ME FAIRE POIREAUTER ENCORE LONGTEMPS, TOI ET KÔSUKE ? ÇA FAIT UNE HEURE QUE JE M'ÉCHAUFFE !
C'EST RELOU !
CHIAKI !?
CHIAKI !!!
EXCUSE...

C'EST VRAI, J'AI REMONTÉ LE TEMPS !
C'EST JUSTE QUE ÇA FAISAIT LONGTEMPS QUE JE T'AVAIS PAS EU AU TÉLÉPHONE, CHIAKI !!
QU'EST-CE QUI T'ARRIVE ? TU ES BIZARRE...
C'EST QUOI, ÇA ? UNE DÉCLARATION ?
ABRUTI !
NE BOUGE PAS ! J'ARRIVE TOUT DE SUITE !
ATTENDS, ENCORE UNE CHOSE !
OUI ? QUOI ?

TU FERAIS PAS...
DES SAUTS DANS LE TEMPS ?
カチッ
TCHAC

Moment : 04
L'avenir...

TU FERAIS PAS...
DES SAUTS DANS LE TEMPS ?
COMMENT ?

COMMENT CHIAKI A-T-IL PU LE DÉCOUVRIR ?
MAKOTO ?
HÉ ! TU M'ÉCOUTES ?

COMMENT ?
TCHAC
カチッ

チャラ
TRA LA LAA
Appel reçu Chiaki Mamiya
チャララ
TRA LA LI
チャ
LA LOU

BIP
VOTRE CORRESPONDANT N'EST PAS EN MESURE DE RÉPONDRE À VOTRE APPEL ...

BIP
C'EST QUOI, CE BORDEL ?
OÙ EST-CE QUE T'ES, MAKOTO ?

WOOSH
WOOSH

...

HA HA !

HEIN !?
TCHIIII

J'IMAGINE QUE LE "SAUT DANS LE TEMPS" DOIT ÊTRE À LA MODE ! ILS EN PARLENT PEUT-ÊTRE DANS UNE SÉRIE ?
FAUT QUE JE ME TIENNE UN PEU PLUS AU COURANT !

HÉÉÉÉ !

MAKOTO !
TCHIIIIII
EUH...
MERCI ENCORE POUR LE VÉLO !

KÔSUKE ?
カン
DANG

カン
DANG
カン
DANG
C'EST PAS VRAI...
カン
DANG

MAIS QU'EST-CE QU'ILS FONT ICI ?
カン
DANG
ATTENDS !!
カン
DANG
ILS SONT PAS DÉJÀ PASSÉS PAR ICI ?
MAIS ALORS L'ACCIDENT...
カン
DANG
KÔÔÔ !

L'ACCIDENT !
DANG
カン
BAAAM
DANG
カン
KÔSUKEEEE !
塾
生

NAAAAAAAAAN
CRASH

MAIS...
QU'EST-CE QUE J'AI FAIT ?

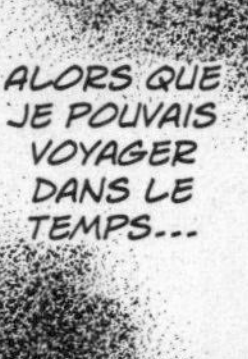
ALORS QUE JE POUVAIS VOYAGER DANS LE TEMPS...

POURQUOI J'AI GÂCHÉ TOUS MES VOYAGES ?
POURQUOI JE NE PEUX PLUS RIEN FAIRE MAINTE-NANT ?

POURQUOI ?
EXCUSE-MOI, KÔSUKE...

MAKOTO ?

ALLONS, TOUT VA BIEN !
OUVRE LES YEUX, ET REGARDE !

IL NE S'EST RIEN PASSÉ. PLUS PERSONNE NE BOUGE !?
HAA

ET KÔSUKE !?
LES FREINS ONT ÉTÉ RÉPARÉS...
DONC IL N'Y A PAS EU D'ACCIDENT.
IL EST SAIN ET SAUF.
ALORS C'EST TOI QUI FAISAIS DES "SAUTS DANS LE TEMPS"?

JE ME RAPPELLE QU'UN JOUR,
J'AI DEMANDÉ À MA TANTE...

DIS,
TATIE !

POURQUOI LES MOMENTS LES PLUS IMPORTANTS NE DURENT JAMAIS PLUS D'UN INSTANT ?
POURQUOI ON NE PEUT PAS ARRÊTER LE TEMPS ?
MAIS MAINTENANT...

LE TEMPS S'EST
ARRÊTÉ PENDANT L'UN
DE CES MOMENTS...

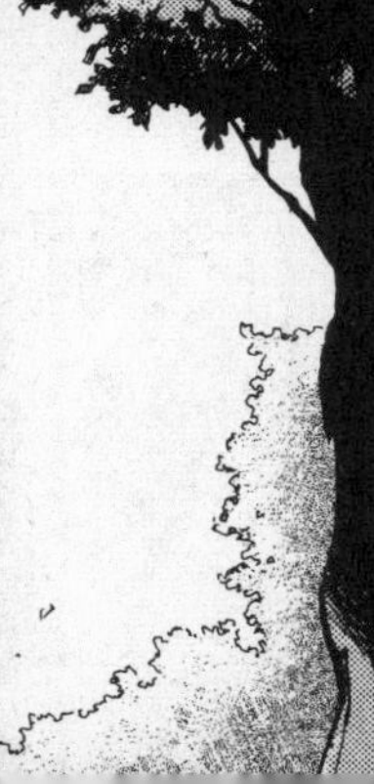

FOUIT
MAKOTO
...

AH !
IL EST VRAIMENT SUPER, TON "SAUT DANS LE TEMPS", CHIAKI ! TOUT EST FIGÉ !
HOP
...
ALLONS-Y !

修復中
ALORS TU ES VENU VOIR CETTE PEINTURE ?

C'EST ÇA.

ELLE N'EXISTE PLUS, À L'ÉPOQUE À LAQUELLE JE VIS.
J'AI FAIT DES RECHERCHES, ET J'AI APPRIS QU'ELLE ÉTAIT EXPOSÉE À LA TIENNE.
C'ÉTAIT UN PEU DANGE-REUX, MAIS JE M'EN FICHAIS.

PARCE QUE JE PENSAIS VRAIMENT QU'ELLE EN VALAIT LE COUP...

MA TANTE M'A DIT QU'ELLE A BEAU DÉGAGER LE CALME ET LA TRANQUIL-LITÉ,
ELLE A ÉTÉ PEINTE LORS D'UNE PÉRIODE TRÈS TRISTE, ET TRÈS DURE...
ET TON ÉPOQUE À TOI, CHIAKI ?
PFF

ÇA NE ME CONCERNE PLUS...
ÇA VEUT DIRE QUOI, ÇA ?
JE N'AURAI PLUS JAMAIS DE RELATION AVEC CETTE ÉPOQUE.
MAIS...
POUR-QUOI...
AAA
FOUIT

JE N'AI PLUS DE "SAUT DANS LE TEMPS".
FROUT
BZIOUT
ET ON DIRAIT BIEN QU'UNE CERTAINE PERSONNE A ÉGALEMENT ÉPUISÉ LES RÉSERVES DE MON APPAREIL DE SECOURS.
AH...
JE SUIS... DÉSO-LÉE...
BAH, JE SUIS JUSTE CONTENT POUR TOI. TU AS DÛ FAIRE DE DRÔLES DE CHOSES AVEC...
HI
L'ÉTÉ VIENT DE COMMENCER.

LE CIEL EST BEAU, LA RIVIÈRE SCINTILLE ...
MAIS SURTOUT, J'ÉTAIS TELLEMENT BIEN AVEC VOUS QUE J'AI OUBLIÉ DE RENTRER.

MERCI POUR TOUT, JE NE VOUS OUBLIERAI PAS.

SI ON FAISAIT DES SORTIES AVEC KÔSUKE, PENDANT L'ÉTÉ ? ET TU N'AS TOUJOURS PAS VU CETTE PEINTURE !
MERCI, MAIS JE NE POURRAI PAS.

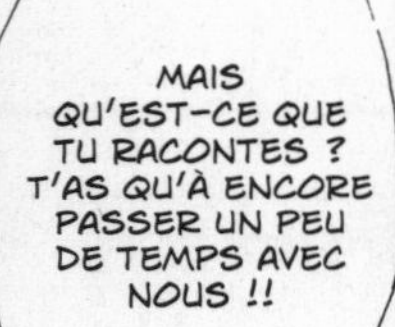
MAIS QU'EST-CE QUE TU RACONTES ? T'AS QU'À ENCORE PASSER UN PEU DE TEMPS AVEC NOUS !!

UNE FOIS QUE NOTRE SAUT DANS LE TEMPS A ÉTÉ DÉCOUVERT, ON DOIT DISPARAÎTRE. C'EST LA RÈGLE.
!!
MAIS... J'EN PARLERAI À PERSONNE !
CHI...
CHIAKI...
OÙ TU VAS, CHIAKI ?

TCHAC
JE SUIS CONTENT DE VOUS AVOIR CONNUS !

VLAM
VRRR
VLAM
CHIAKIIIIIIII
VAM
VAM
VAM
VAM
HÉ, VOUS SAVIEZ, POUR MAMIYA ?

IL A DISPARU DE L'ÉCOLE DU JOUR AU LEN-DEMAIN... VOUS CROYEZ QU'IL ÉTAIT CRIBLÉ DE DETTES ET QU'IL A DÛ FUIR SES CRÉANCIERS ?
ARRÊTE TES CONNERIES ! SI ÇA SE TROUVE, IL S'EST FAIT COFFRER PAR LES FLICS...
BAH, IL A DÛ RÉUSSIR À EMBALLER UNE FEMME MÛRE !
C'EST VRAI QU'IL ÉTAIT BIZARRE, COMME TYPE !
HA HA HA
CLANG
MAIS VOUS ALLEZ LA FER-MER, À LA FIN ?
!
MAKOTO !

ÇA VA, MAKOTO ?
C'EST VRAI QUE MAINTENANT QUE J'Y PENSE, ON NE SAVAIT PAS GRAND CHOSE DE LUI...
SI SEULEMENT ON LUI AVAIT DEMANDÉ CE QUI LE TRACASSAIT...

À TON SUJET, NOTAMMENT...
HEIN ?

IL ÉTAIT AMOUREUX DE TOI, TU SAIS.

BAH MOI, J'AVAIS MÊME PAS RÉA-LISÉ...
C'EST VRAI QUE T'ES PAS DOUÉE POUR CES CHOSES-LÀ !

PEUT-ÊTRE QUE LUI AUSSI...
ALORS...
ÇA TE DIRAIT PAS DE SORTIR AVEC MOI ?
IL N'A PAS RÉUSSI À TE DIRE CE QU'IL AVAIT SUR LE COEUR ?

FLOP
HÉÉ, MAKOTO !!

QUELLE NULLE...
DIRE QU'IL AVAIT FAIT L'EFFORT DE M'OUVRIR SON COEUR...

ET MOI
JE L'AI
IGNORÉ !
JE L'AI
BLESSÉ !
HAA
HAA
JE
SUIS...
TAP

QU'UNE
GROSSE
NUUULLE
!!

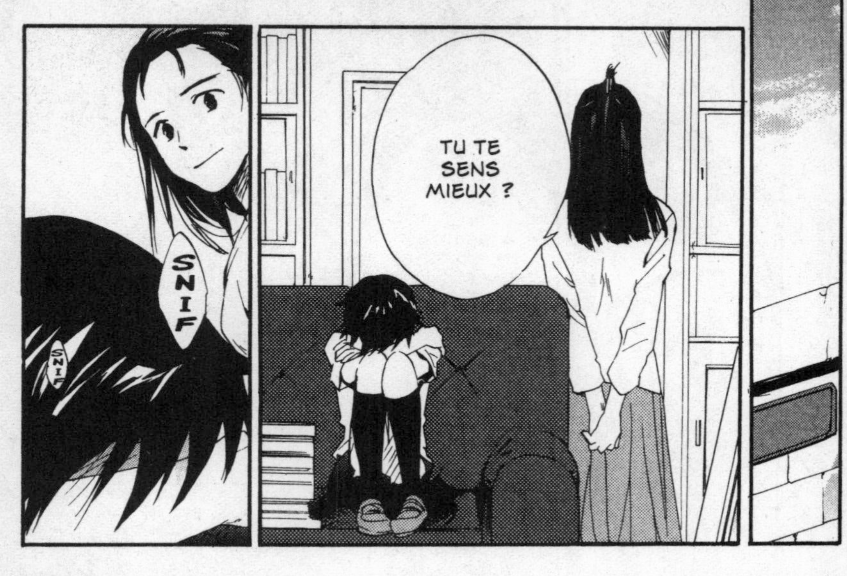
TU TE SENS MIEUX ?
SNIF
SNIF

CRRI
ON DIRAIT BIEN QUE TES SENTIMENTS ONT ÉVOLUÉ...

DIS-MOI, MAKOTO...
EST-CE QUE TU SAIS POURQUOI JE FAIS CE MÉTIER ?

PARCE QUE JE VEUX LÉGUER QUELQUE CHOSE POUR L'AVENIR.

QUAND J'AVAIS TON ÂGE,
MOI AUSSI, J'AI ÉTÉ SÉPARÉE DE QUELQU'UN À QUI JE TENAIS BEAUCOUP.
MAIS EN FAISANT CE TRAVAIL...
MÊME SI JE NE POURRAI JAMAIS LE REVOIR, JE ME SUIS DIT QUE JE POURRAI LUI TRANSMETTRE CETTE PEINTURE.
POUR LUI DIRE QUE JE VAIS BIEN.
TATIE...

MAIS TOI, MAKOTO... TU PEUX PEUT-ÊTRE ENCORE LUI TRANSMETTRE QUELQUE CHOSE...

POUF
C'EST INCROYABLE ! POURQUOI IL EN RESTE ENCORE !
TATIE !?
ÇA, JE N'EN SAIS RIEN ! MAIS...
PEUT-ÊTRE QUE CHIAKI...
VOUS A FAIT TOUS LES DEUX REMONTER LE TEMPS AVANT QUE TU N'UTILISES TON DERNIER SAUT ?

SNIF ふる
SNIF ふる
QUE...
MAKOTO !?
QU'EST-CE QUE JE DOIS FAIRE, TATIE ?
JE SAIS VRAIMENT PAS COMMENT TE REMERCIER !!

À BIENTÔT, MAKOTO...
DANS TON AVENIR !!
カキーン
CLANG

CLAANG

MMMH... PAS MAL, T'AS VRAIMENT PROGRESSÉ !
...

GYAAA !
BORDEL... TU POURRAIS PRÉVENIR, QUAND T'ARRIVES !
GRRR
C'EST QUOI, CETTE RÉACTION ?

BEN TU SAIS, T'ES PLUTÔT FLIPPANTE, COMME FILLE !
KI HI HI
VLAN

SUIS-MOI !
GRR
AAAAAH
AÏAÏAÏAÏE ! MAIS KÉSTU FOUS... MAKOTO !!
ARRÊTE DE PLEURER ET VIENS !
CRRAC

EXCUSE-MOI ! C'ÉTAIT UNE BLAGUE !
WAAAAA !
QU'EST-CE QU'ON FOUT ICI ?

WAAAAH ! TROP BIEN ! TROP BIEN !
ON PEUT MÊME VOIR LES GENS DANS LEUR APPART' !

QU'EST-CE QUI TE PREND, TOUT À COUP...
MAIS REGARDE, CHIAKI !! ON VOIT MÊME LA MER !
AH OUAIS ?

PAR ICI, C'EST LE STADE DE BASE-BALL... CETTE RIVIÈRE... JE ME DEMANDE SI ELLE VA JUSQU'À CHEZ MOI ?

JE VOULAIS JUSTE ME BALADER UN PEU AVEC TOI, CHIAKI...

MAIS TU...
CLING
AAAAARRG !!
C'EST DÉJÀ FINI !
ENCORE 200 YENS !!

EXCUSE-MOI, CHIAKI...

À CAUSE DE MOI... TU N'AS PAS PU VOIR CE TABLEAU.

C'ÉTAIT DONC ÇA ?
...
DIS-MOI..
SI UN FILLE COMME MOI DONNE TOUT CE QU'ELLE A POUR ÇA...

TU CROIS QUE JE PEUX RENDRE TON FUTUR MEILLEUR ?
JE NE SAIS PAS... MAIS C'EST PAS IMPOSSIBLE !
VRAIMENT ?

DANS CE CAS, JE VAIS ME DÉFONCER !
JE SAIS PAS TROP CE QUE JE VAIS FAIRE DE MA VIE, MAIS JE TE PROMETS DE ME DONNER À FOND.

ET CE MONDE SERA MON CADEAU POUR TOI !

AH OUI ?
MERCI POUR TOUT.
HÉ HÉ HÉ, MAIS DE RIEN, VOYONS !
ぱっ
PAF
!

...
EUH

BON, BEN MOI, J'Y VAIS !
PORTE-TOI BIEN !
PIM
POOM
HÉÉÉ, MINUTE, MAKOTO !

AH !
TU AS QUELQUE CHOSE À ME DIRE ?

EUH... PRENDS GARDE AUX INDIGES-TIONS ?
GRRRR
FAITES ATTENTION À LA FERMETURE DES PORTES.
ÇA VEUT DIRE QUOI, ÇA ? ESPÈCE DE CRÉTIN !

MEUUH

SHTONK
HÉ...
HÉ HÉ...

チ
PIING

SERRE
KYAA !
DANS LE FUTUR...
JE T'ATTENDRAI DANS LE FUTUR !

D'ACCORD !
TRILILILI

LILILI
PAM
SUPEER !
AUJOUR-D'HUI ENCORE, ÇA MARCHE NICKEL !
À CE SOIR !
COUI
BYYYE !!
TAP TAP
MAIS OÙ EST-CE QU'ELLE VA COMME ÇA CHAQUE JOUR, MAKOTO ? C'EST LES GRANDES VACANCES, POURTANT !
ELLE VA À LA BIBLIOTHÈQUE ! C'EST INCROYABLE CE QU'ELLE EST DEVENUE SÉRIEUSE !
KEU-JAAA ??

HMMM
LA PLUIE S'ANNONCE...
"TU SAIS CE QUE CHIAKI VA FAIRE CET ÉTÉ ?"
C'EST VRAI QU'IL RESSEMBLAIT À L'ÉTÉ !

J'ATTENDRAI...

AVEC IMPATIENCE...

LE JOUR
OÙ ON SE
RETROUVERA !

fin

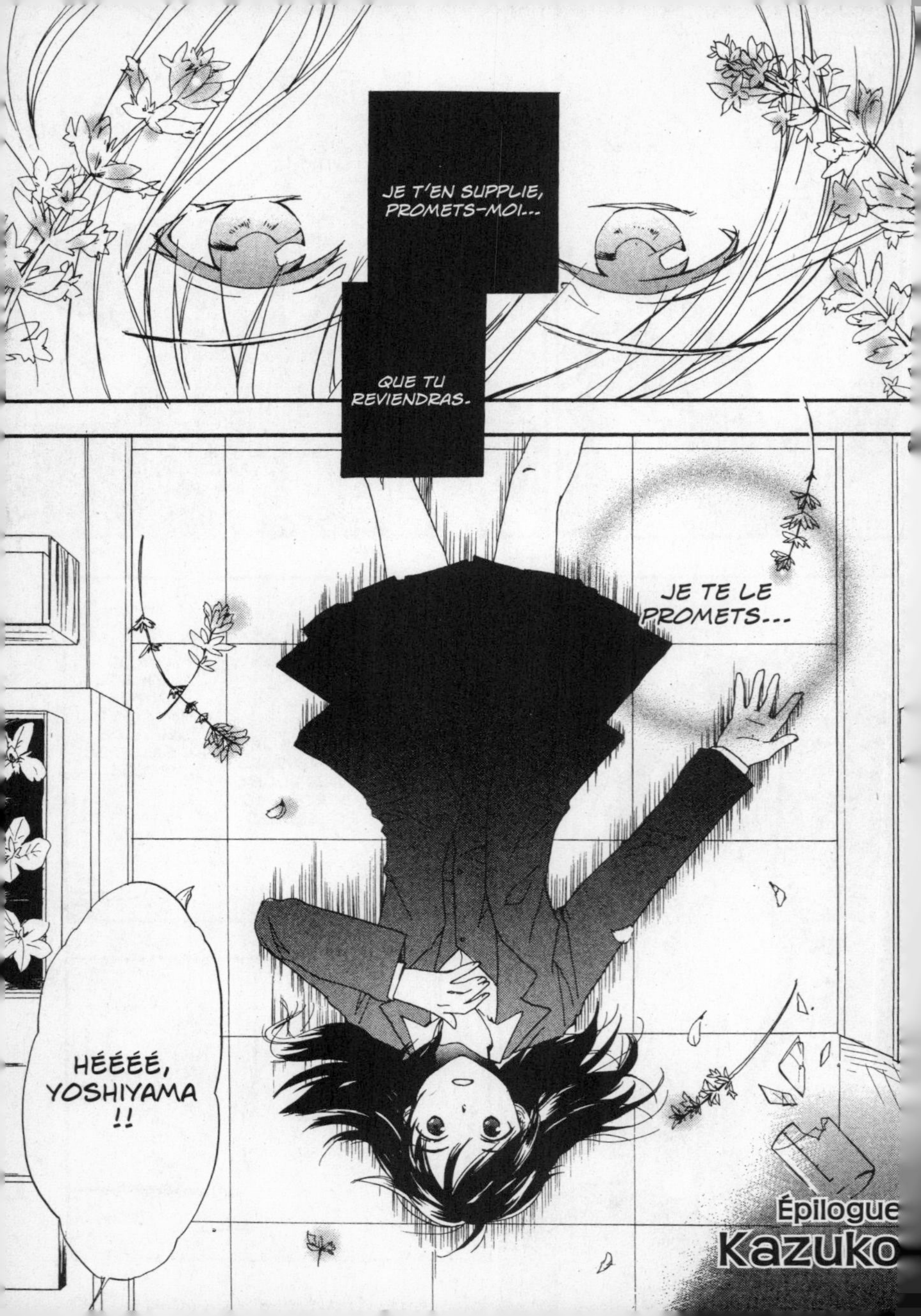
JE T'EN SUPPLIE, PROMETS-MOI...
QUE TU REVIENDRAS.
JE TE LE PROMETS...
HÉÉÉÉ, YOSHIYAMA !!
Épilogue
Kazuko

BAM
YO... YOSHIYAMA !!
QU'EST-CE QUI S'EST PASSÉ ? TU VAS BIEN !?
GORÔ ?
MAIS QU'EST-CE QUI M'EST ARRIVÉ ?

TU M'AS DIT QUE TU POUVAIS T'OCCUPER SEULE DE LA SALLE DE SCIENCES...
ALORS JE T'AI LAISSÉE POUR ALLER SORTIR LES POUBELLES.

QUI EST-CE QUI A MIS UN BAZAR PAREIL, ICI ?

J'ÉTAIS...
EN TRAIN DE PARLER À QUELQU'UN ?

C'ÉTAIT QUELQU'UN DE TRÈS IMPORTANT POUR MOI...
MAIS JE NE M'EN SOUVIENS PLUS DU TOUT.

ET PUIS LES JOURS ONT PASSÉ...
J'AI COMPLÈTEMENT OUBLIÉ CETTE HISTOIRE...
TU AIMES LA LAVANDE ?

WAA !
BAM
EXCUSEZ-MOI !!
AUTREFOIS, IL Y AVAIT UNE SERRE...
MAIS AUJOURD'HUI, VA SAVOIR POURQUOI, IL N'Y A PLUS QUE DE LA LAVANDE QUI POUSSE ICI.

SI TU VEUX, TU PEUX EN RAPPORTER CHEZ TOI !

BON
...

DANS CE CAS, JE VAIS EN PRENDRE UN BRIN.

AH !
C'EST VRAIMENT SUPER, LES SAUTS DANS LE TEMPS !

ON PEUT REFAIRE LES CHOSES POUR S'AMÉLIORER.
ET COMME ÇA, JE PEUX ÊTRE SÛRE D'ÊTRE HEUREUSE DANS LA VIE !!
TU TROUVES, TOI ?
QU'EST-CE QUE TU AS ?
MOI, JE N'AI PAS BESOIN DE SAUT DANS LE TEMPS.
PARCE QUE MOI, JE N'AI JAMAIS ÉTÉ AUSSI HEUREUX QU'EN CE MOMENT.

TOUT ÇA PARCE QUE JE SUIS AVEC VOUS.
EXCUSE-MOI...

C'EST GRÂCE À CET ÉLIXIR À BASE DE LAVANDE QUE J'AI CONCOCTÉ QUE TU AS PU FAIRE CES SAUTS DANS LE TEMPS.
LAISSE-MOI EFFACER TOUS CES SOUVENIRS...
EFFACER MES SOUVENIRS ?
MÊME TOI ?

MÊME LES SENTIMENTS QUE J'AI POUR TOI ?
HA

ZOOM
C'EST DINGUE !
UN SAUT DANS LE TEMPS !!
IL M'EN RESTAIT ENCORE UN !?
DANS CE CAS...
JE PEUX REVENIR !
JE PEUX REVENIR JUSQU'À CE MO-MENT !!
PARCE QUE MOI,

JE N'AI JAMAIS ÉTÉ AUSSI HEUREUX QU'EN CE MOMENT.
OH...

PAS BESOIN DE REVENIR...

J'AI PU ME RAPPELER DE CE MOMENT.

JE NE L'OUBLIERAI PLUS JAMAIS.

PUISQUE MAINTENANT...

TU SERAS TOUJOURS... "CELUI QUE J'AIME".

Épilogue - Fin

également disponible !

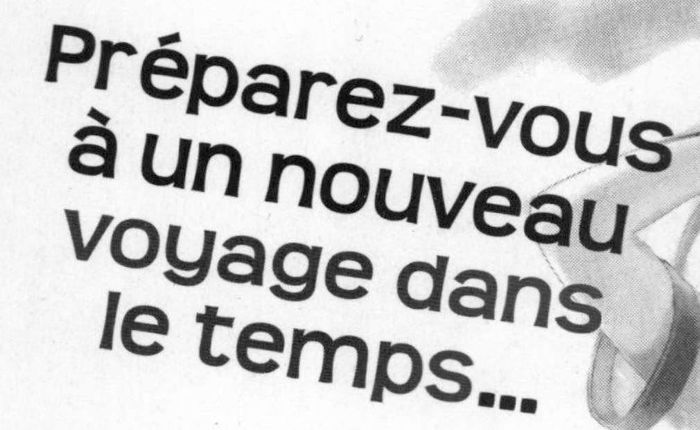

Préparez-vous à un nouveau voyage dans le temps...

TOKI WO KAKERU SHOJYO -TOKIKAKE- :00:00:00:00:00:00:00:00:00:00:00:00:01:94:24:36:02:15:80:19:74:82:59:72:30:00:88:32:51:03

Originally published in Japan in 2006 by Kadokawa Shoten Publishing Co., Ltd.
French translation rights arranged with Kadokawa Shoten Publishing Co., Ltd
through TOHAN CORPORATION, Tokyo.

Édition française
KAZÉ
45 rue de Tocqueville 75017 Paris
www.kaze-manga.fr

directeur éditorial Josselin Moneyron
Traduit du japonais par Tristan Brunet

Lettrage & maquette GB One
Supervision éditoriale Adeline Fontaine

Design din
Responsable de fabrication Julie Baudry

Achevé d'imprimer en CE en mai 2013
Dépôt légal : juin 2013

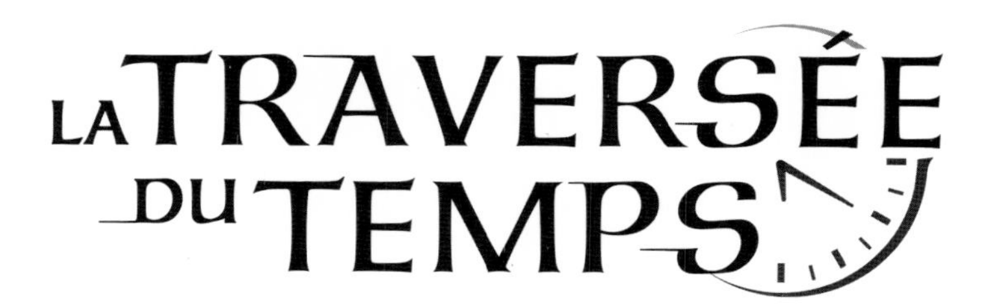

La Traversée du Temps

Manga : Ranmaru Kotone

Histoire originale : Yasutaka Tsutsui

Character design : Yoshiyuki Sadamoto

00:00:00:00:00:00:00:00:00:00:00:00:00:00:00:01:94:24:36:02:15:80:19:74:82:59:72:30:00:88:32:51:03:84:12:09:33:11:40:01:94:24:36:02:15:80:19:74:82:59:72:30:00:88

Makoto Konno a le pouvoir de quitter
« Présent » pour retourner dans le passé à certain
occasions. Elle utilise son pouvoir pour réa
ser ses désirs et régler ses petits tracas quotidie
Elle mange ses plats préférés, et peut
sortir instantanément de toutes sortes d'embûch
haque jour est merveilleux. Jusqu'au jour où

time is
time was
time is not...

Ranmaru Kotone
- Manga -

Yasutaka Tsutsui
- Histoire originale -

Yoshiyuki Sadamoto
- Character Design -

Makoto Konno a le pouvoir de quitter le « Présent » pour retourner dans le passé à certaines occasions. Elle utilise son pouvoir pour réaliser ses désirs et régler ses petits tracas quotidiens. Elle mange ses plats préférés, et peut se sortir instantanément de toutes sortes d'embûches. Chaque jour est merveilleux.

Jusqu'au jour où...